Cécile Duff

LES MAMICHOUS ET LES PAPICHOUS

Illustré par

Aska Suzuki

Merci à tous ceux et celles qui ont cru à notre projet de collection
et qui ont contribué à la réalisation de ce premier album.

Merci à Linda Goupil, ministre d'État à la Solidarité
sociale, à la Famille et l'Enfance et ministre responsable
des Aînés, pour son soutien financier.

Merci à Gilles Labbé, député de Masson
pour son implication personnelle.

Merci à Hélène Rudel-Tessier et à l'équipe
de Carte blanche pour leur professionnalisme.

Merci aux donateurs qui demeurent dans l'ombre
mais dont l'implication a été remarquable.

LES ÉDITIONS FAMILLES
940, rue Saint-Luc, Mascouche (Québec) J7K 3A1
Courriel: robert.benoit4@sympatico.ca

Dépôt légal: 2e trimestre 2003
ISBN 2-923139-00-3
Bibliothèque nationale du Québec

Distributeur exclusif pour le Québec:
LA LIBRAIRIE LINCOURT
191, rue Saint-André, Vieux-Terrebonne (Québec) J6W 3C4
Téléphone: (450) 471-3142 • Télécopieur: (450) 471-7127

Voici l'histoire d'un tout-petit très sympathique que l'on surnomme en souriant «Petit Minois». Pour l'aider à répondre à toutes ses questions et à résoudre ses problèmes, Petit Minois s'est fait un ami.

Cet ami est un petit génie. Il se cache habilement dans un très joli jardin. Il a un nom surprenant: «Génie Chou-fleur».

Petit Minois connaît la formule magique
pour appeler cet ami unique.
Elle fait tournoyer son chapeau de fleurs
pour le faire sortir de sa demeure.

Chaque fois que Petit Minois
veut parler à son ami le petit génie,
il récite avec ardeur cette formule magique
pour le faire apparaître:

«Tourne tourne chapeau de fleurs
Tourne tourne génie moqueur
Chasse mes pleurs et mes peurs
Fais rire et danser mon cœur
Tourne tourne Génie Chou-fleur
Tourne et sors de ta demeure..»

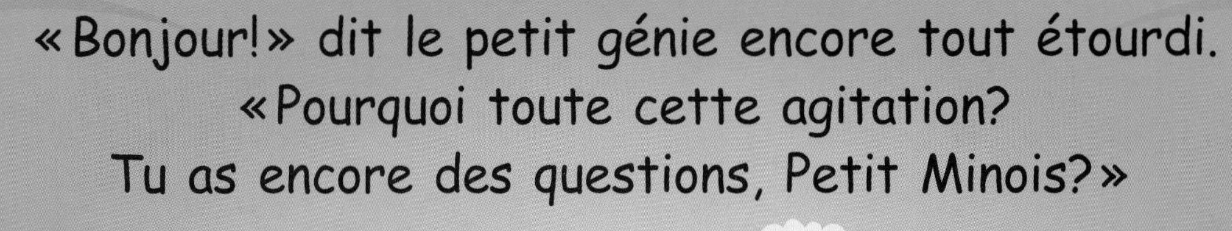

«Bonjour!» dit le petit génie encore tout étourdi.
«Pourquoi toute cette agitation?
Tu as encore des questions, Petit Minois?»

Et Petit Minois lui demande candidement:
«Dis-moi, Génie Chou-fleur, une Mamichou,
qu'est-ce que c'est?»

C'est merveilleux une Mamichou... Car elle a des yeux doux
remplis d'amour et de doudous!

Elle a un sourire rempli
de petits mots qui font rire.

Elle a des oreilles
qui, attentivement, veillent
auprès de ceux qui sommeillent.

Et de nouveau
Petit Minois lui demande:
«Et un Papichou, qu'est-ce que c'est?»

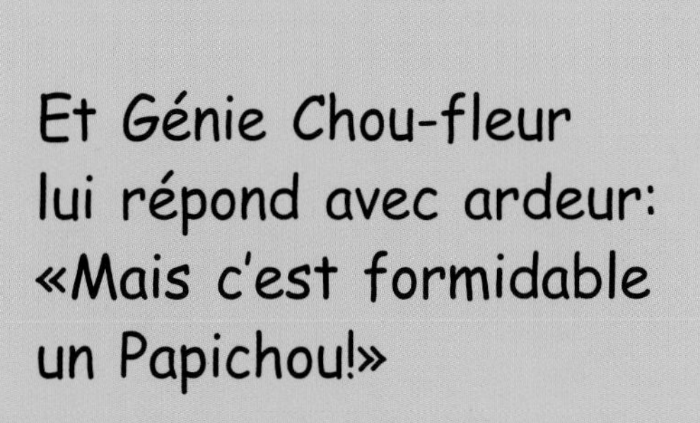

Et Génie Chou-fleur
lui répond avec ardeur:
«Mais c'est formidable
un Papichou!»

Car il a des bras forts
pour protéger et câliner.

Il a une bouche qui console doucement
et envoie au loin un chagrin pesant.

Il a un cœur d'or qui garde
en secret plein de petits bonheurs.

Génie Chou-fleur est maintenant fatigué.
Il se met alors à tourner comme une toupie
pour rentrer chez lui.

Devant ce spectacle étourdissant
Petit Minois s'amuse toujours vivement.

Petit Minois et Génie Chou-fleur t'ont laissé une petite question.
Pourras-tu y répondre? La voici:

Qui est ta Mamichou?
Qui est ton Papichou?

À paraître

Une choutrouille mervouilleuse (L'estime de soi)
Gargouille et Rigole (Le respect)
Les mots magiques (La politesse)
Le ballon Oups (Le partage)